PSI : Globule blanc lymphocyte. Lieutenant de police et adjointe de Pierrot. Sa subtilité, quand il s'agira de déjouer les ruses des virus envahisseurs nous rendra bien des services.

PIERROT : Globule blanc lymphocyte et Capitaine de la Police du corps. Il se déplace dans une capsule spatiale. Les lymphocytes sécrètent des jets de toxines et éjectent des bataillons d'anticorps.

IL ÉTAIT UNE FOIS...

Vous connaissez tous Pierrot, Psi et Maestro sans oublier tous leurs compagnons. Vous avez suivi avec passion leurs exploits dans "Il était une fois l'homme" et "Il était une fois l'espace."

Aujourd'hui, Albert BARILLÉ leur fait vivre de nouvelles aventures dans le domaine de l'infiniment petit, au cœur même du corps humain, de ses organes, de leurs cellules, là où s'élabore, où s'entretient la vie.

Vous revivrez, en lisant ces albums, tous les instants passés à regarder l'émission de télévision "Il était une fois la vie."

Vous pourrez ainsi comprendre, encore plus facilement, comment fonctionne cette merveilleuse machine qu'est le corps humain et surprendre par votre culture scientifique vos parents et amis.

Une fois de plus, Albert BARILLÉ aura su, tout en nous émerveillant, enrichir notre esprit par de nouvelles connaissances.

Pour l'édition par le réseau presse des marchands de journaux :
QSP Publishing - Bât. 3 - 2 rue Émile Pâthé - 78400 Chatou - France
Distribution réseau presse :
France : Promévente - 6bis rue Fournier - 92110 Clichy.
Tél : 47 56 14 24, n° vert (réassorts) : 05 19 84 57.
Belgique : AMP - 1 rue de la Petite Île - 1070 Bruxelles
Suisse : Naville SA - 38-42 av. Vibert - CH 1227 Carouge GE
Québec : Éditions Maestro Limitée - 7855 bd L-H Lafontaine -
bureau 202 - Anjou (Québec) Canada - H1K 4E4
Abonnements :
France : s'adresser à AIM/Il était une fois La Vie - BP 544
77006 Melun Cedex - Tél : 16 (1) 43 62 10 58.
Suisse : s'adresser à Dynapresse - 38 av. Vibert - CH 1227 Carouge GE
Tél : (022) 308 08 70.
Belgique : s'adresser à Partner Press - 11 rue Charles Parenté - 1070
Bruxelles - Tél : (02) 556 41 40 ou (02) 556 41 41.

Réalisation et coordination technique :Multilibro S.A.
Illustrations : Beaumont - Graphisme : Jean Barbaud
Décor : Claude Lambert

© Procidis, Albert Barillé

© Édigrafic pour adaptation en langue française 1989

Imprimé en France

Dépôt légal : 3e trimestre 1995

ISBN : 2-87787 069-3

Le corps humain
il était une fois la Vie

**D'après la série télévisée de
Albert BARILLÉ
de la meilleure émission jeunesse**

7 d'or

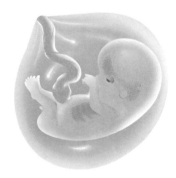

La naissance 2

Tome 26

Le bébé grandit et se développe

Quand le bébé va-t-il naître

Dans le ventre de la mère, le bébé grandit très rapidement. Dix semaines après sa conception, il a déjà l'aspect d'un être humain en miniature. On lui donne alors le nom d'embryon.

Environ 38 semaines vont s'écouler avant la naissance de bébé. Soit 9 mois plus une semaine. C'est le temps qu'il faut à l'espèce humaine pour que l'œuf (ou zygote) devienne un être humain formé de quelque 200 millions de cellules.

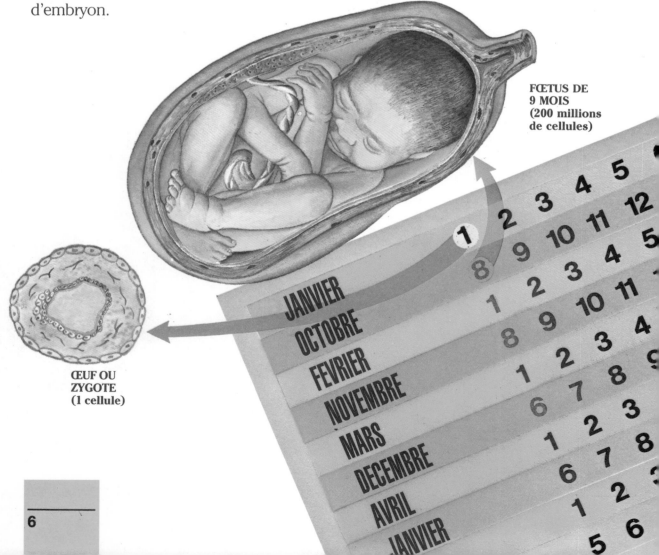

FŒTUS DE
9 MOIS
(200 millions
de cellules)

ŒUF OU
ZYGOTE
(1 cellule)

JANVIER
OCTOBRE
FEVRIER
NOVEMBRE
MARS
DECEMBRE
AVRIL
JANVIER

Le bébé est-il protégé ?

Oui. A l'intérieur de sa mère, le bébé passe 9 mois confortables, pendant lesquels il flotte dans le *liquide amniotique* (1) qui le protège des chocs brusques, des changements de température, des bruits stridents et des attaques des *bactéries* (1). Dans le liquide amniotique flottent certaines cellules de l'embryon, que les médecins peuvent analyser, avant la naissance, afin de découvrir d'éventuelles malformations ou maladies *congénitales* (1) chez le bébé. Le liquide amniotique ne le protège toutefois pas des *rayons X* (1). Lorsqu'on fait une radiographie à la mère, ces rayons traversent ce liquide, et peuvent entraîner, pour le fœtus, certaines malformations. Mais, de nos jours, grâce à la technique des ultrasons, ce problème est désormais résolu. Pour voir à l'intérieur de la mère, on utilise à

(1) Voir glossaire

présent un appareil émettant des ondes à très haute fréquence, mais inoffensives car elles sont de la même nature que les ondes sonores.
En rebondissant contre le fœtus, ces ultrasons produisent un *écho* (1) que l'appareil transforme au moyen de circuits électroniques en images visibles sur un écran de télévision. C'est la technique de l'*échographie* (1). Grâce à elle, il est possible d'obtenir des images du fœtus, d'observer ses mouvements, de vérifier sa position, et de découvrir les anomalies éventuelles.

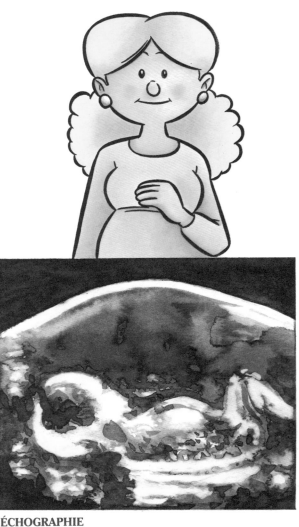

ÉCHOGRAPHIE

Pendant 9 mois... le bébé se développe

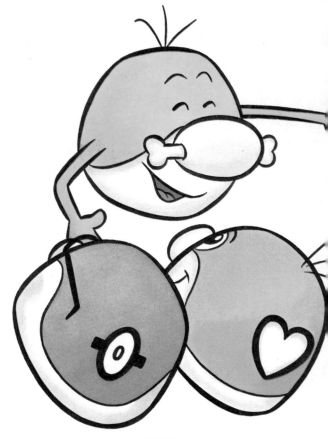

A peu près 30 heures après la rencontre de l'ovule et du spermatozoïde, la cellule œuf (ou zygote) formée par eux se divise en deux. Vingt heures plus tard, elles sont déjà devenues quatre, qui poursuivent leur chemin dans la trompe de Fallope. Quelques jours plus tard, le début de l'embryon, renfermant un grand nombre de cellules déjà formées, arrive à l'utérus et y pénètre, à la recherche de nourriture et d'un abri. A partir de ce moment, il reste fixé à la paroi utérine grâce à de petites *radicelles* (1), par lesquelles il absorbe les substances nécessaires à son développement.

(1) Voir glossaire

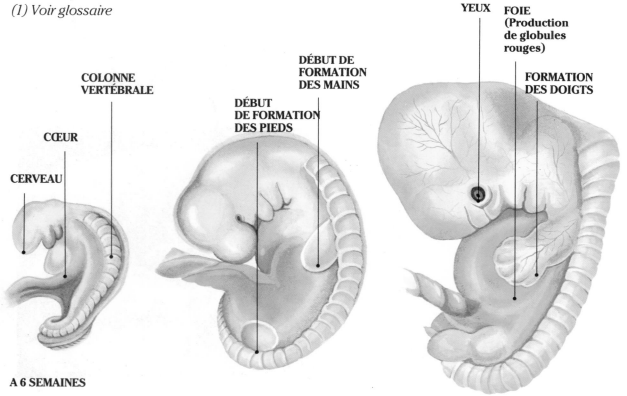

YEUX

FOIE
(Production de globules rouges)

DÉBUT DE FORMATION DES MAINS

FORMATION DES DOIGTS

COLONNE VERTÉBRALE

DÉBUT DE FORMATION DES PIEDS

CŒUR

CERVEAU

A 6 SEMAINES

A 7 SEMAINES

A 8 SEMAINES

Les trois premiers mois

A partir du moment où elles se nichent dans l'utérus, les cellules de l'embryon se multiplient très rapidement. La phase embryonnaire débute, pendant laquelle un être nouveau commence à croître, et les parties qui le composent à se différencier. En même temps, la paroi utérine produit le *placenta* (1), organe ayant pour mission de procurer l'oxygène et les aliments au fœtus, et d'éliminer les déchets qu'il produit. Au bout de 15 jours, l'embryon s'est déjà bien développé, et les diverses parties de son corps commencent à se former selon le processus suivant :

A 6 semaines : les bases de la colonne vertébrale et du cerveau se forment. Le cœur commence à battre.

A 7 semaines : apparition de petites *protubérances* (1), qui deviendront les mains et les pieds.

A 8 semaines : le foie commence à fabriquer des globules rouges ; des yeux, un nez et des oreilles rudimentaires apparaissent, ainsi que les doigts des mains et des pieds. On commence à deviner des traits humains.

A 3 mois : le petit embryon est déjà *physiologiquement* (1) formé. Cet être vivant est d'ores et déjà un être humain.

Le développement d'un embryon a de quoi nous remplir d'admiration. Quel étrange pouvoir se cache donc dans une cellule œuf pour qu'à partir d'elle puissent se former des cellules différentes, capables de se regrouper afin de constituer des organes distincts, jusqu'à former, trois mois plus tard, un être qui est déjà un être humain ?

(1) Voir glossaire

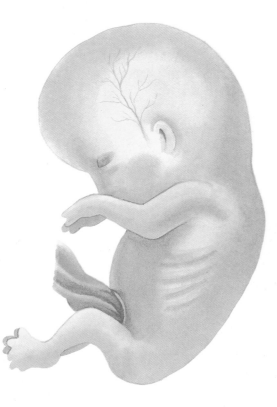

A 3 MOIS

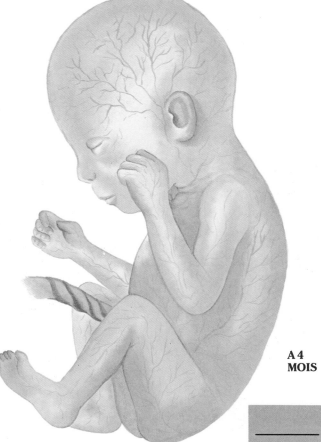

A 4 MOIS

Le stade fœtal, mois après mois

Au quatrième mois, le stade embryonnaire prend fin pour laisser la place au stade fœtal. Le fœtus poursuit alors son processus de formation de la manière suivante :

A 4 mois : une peau rouge et transparente recouvre le bébé, qui occupe déjà, avec le placenta et le liquide amniotique, la totalité de l'utérus. Dès lors, ce dernier commence à se *dilater* (1), et le corps de la mère laisse apparaître les premiers signes extérieurs de la grossesse : la taille s'élargit, le ventre grossit légèrement, etc.

A 5 mois : les cheveux, les cils et les sourcils font leur apparition, mais les yeux demeurent fermés.

A 6 mois : le fœtus, petit et tout ridé, commence à percevoir ses premières sensations : il entend battre le cœur de sa mère, écoute la musique et les bruits extérieurs, et commence à vivre en alternance des périodes de sommeil et de veille.

Lorsqu'une femme attend un enfant, ses globules rouges vivent une période de travail intense, car ils doivent contribuer au développement du nouvel être en formation.

(1) Voir glossaire

Pendant les 9 mois de grossesse, l'enfant se nourrit des substances que lui apporte le sang de sa mère. Mais il n'y a aucune raison de s'inquiéter. Regarde, la petite Globine admire, étonnée, le nombre croissant de ses compagnons. Cela est normal car le corps de la mère fabrique tout le sang dont il a besoin.

(1) Voir glossaire

A 7 mois : seuls les poumons ne sont pas tout à fait formés. C'est pourquoi, si le moment de la naissance est avancé, il faut placer le bébé en *couveuse* (1), pour qu'il puisse survivre.

A 8 mois : le fœtus est presque prêt à naître. Ses poumons se sont développés et pourraient résister s'il devait se mettre à respirer dès ce moment. Il suce son poing, ce qui lui apprend déjà à téter pour quand il naîtra.

A 9 mois : le grand moment est arrivé ! Le bébé continue à grossir, et change de position pour se préparer à la naissance. A partir de la 36e semaine, il engage sa tête dans le bassin, et il ne lui reste plus qu'à attendre le moment de l'accouchement, qui se produit en général, nous l'avons vu, à partir de la 38e semaine. On dit alors que la grossesse est arrivée à terme.

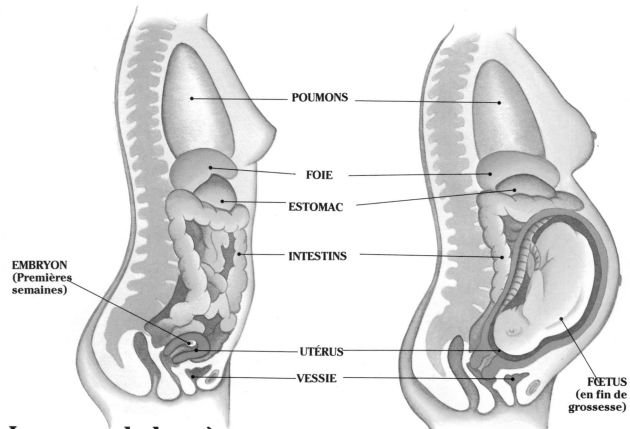

POUMONS

FOIE

ESTOMAC

INTESTINS

EMBRYON
(Premières
semaines)

UTÉRUS

VESSIE

FŒTUS
(en fin de
grossesse)

Le corps de la mère change

Lorsqu'une femme est enceinte, c'est-à-dire lorsqu'elle attend un enfant, son corps subit une série de transformations qui la préparent au moment décisif de la naissance. Certaines substances chimiques sont responsables de ces changements. Bien qu'elles soient toujours présentes dans le corps féminin, elles augmentent pendant les périodes de *gestation* (1). Il s'agit des hormones de grossesse, la progestérone et les œstrogènes. Elles sont habituellement produites dans l'ovaire mais, à partir du troisième mois de grossesse, elles

commencent à être produites dans le placenta. Ce changement n'est pas le seul. Voici, en effet, les modifications qui s'effectuent chez la femme enceinte :

● Son poids augmente de 10 à 15 kg.

● Son utérus se dilate et sa capacité passe de 2 à 3 cm^3 à 5 000 à 7 000 cm^3, pour pouvoir abriter le fœtus sans le comprimer. Ce changement se traduit, à l'extérieur, par les nouvelles dimensions que prend son ventre.

● Ses seins augmentent de volume, car ils se préparent à alimenter le bébé.

● La quantité de son sang augmente (d'environ 50 %), afin de couvrir les besoins du bébé.

● Les ligaments de son pubis se ramollissent, pour permettre à l'enfant de sortir plus facilement lors de l'accouchement.

Apprends avec nous

Qu'est-ce qu'une césarienne

Tu as peut-être entendu dire d'un enfant qu'il est né par « césarienne »? Peut-être même est-ce ton cas, car il s'agit d'une opération très courante. Mais sans doute ne sais-tu pas exactement en quoi elle consiste. Eh bien, il s'agit de l'extraction chirurgicale du fœtus. C'est-à-dire que lorsque, pour certaines raisons physiques, une femme ne peut pas accoucher normalement, ou lorsque la vie du bébé pourrait être mise en danger par un accouchement trop long, les médecins préfèrent ouvrir au bistouri le ventre de la mère (placée sous *anesthésie* (1)), afin d'éviter tout risque pour la mère et pour l'enfant. De nos jours, cette opération est sans danger, alors que dans l'Antiquité, elle pouvait être mortelle. On pense que son nom provient d'une ancienne loi romaine, la « Lex Ceserea » (« Loi de César »), qui rendait cette opération obligatoire pour extraire l'enfant lorsque la mère était morte au cours de l'accouchement.

(1) Voir glossaire

13

Le bébé
et son milieu

A vant de naître,
le bébé doit s'alimenter,
et il a besoin
d'oxygène pour vivre : l'air et
les aliments lui sont fournis à travers
le placenta. Ce dernier se forme à partir d'un réseau de vaisseaux sanguins,
qui se développent au moment où l'ovule fécondé se niche dans la paroi de
l'utérus. Une peau très fine sépare le placenta du réseau sanguin du fœtus.
En cas de besoin, cette peau sert à filtrer les substances nocives qui
pourraient se trouver dans le sang de la mère.
Le bébé est uni au
placenta par un canal
qui sort de son nombril:
le cordon ombilical.

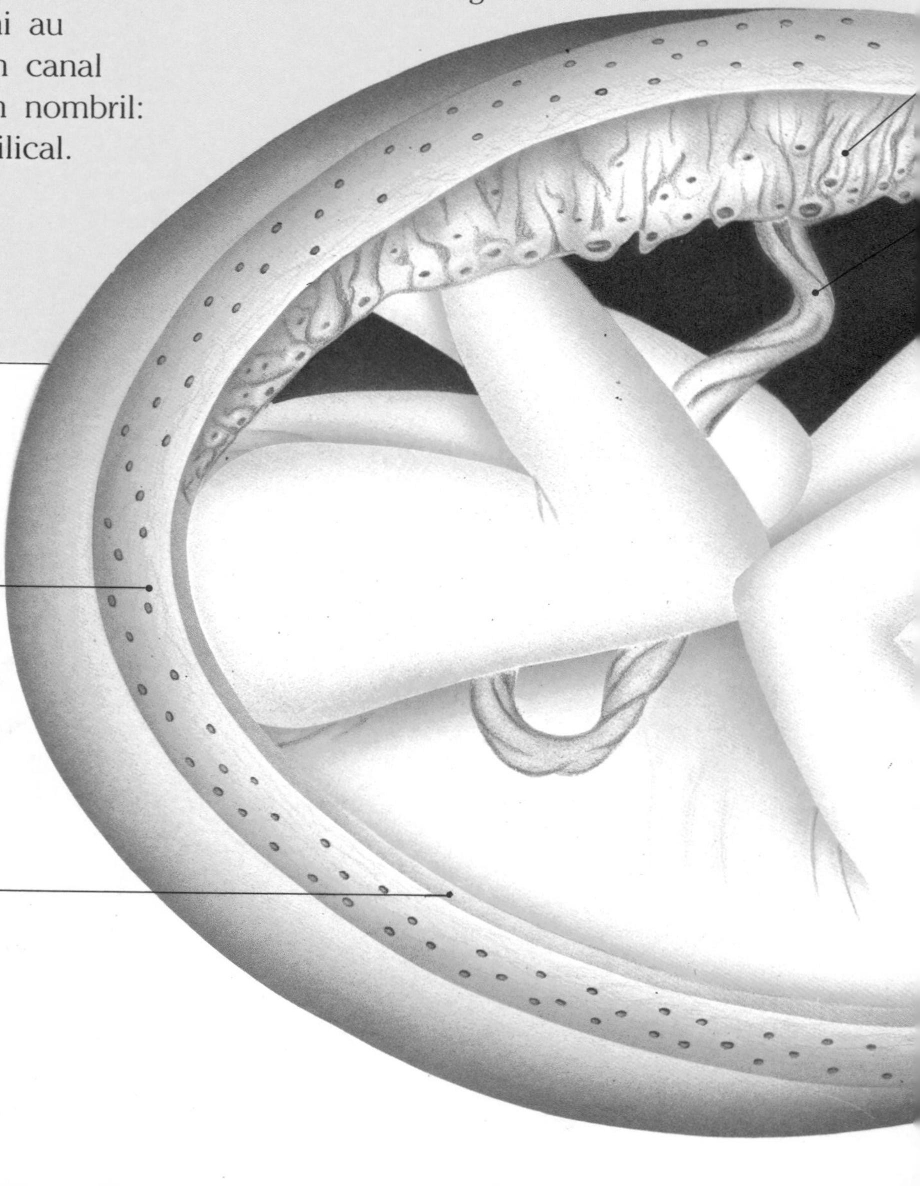

PAROI DE
L'UTÉRUS

CAVITÉ
AMNIOTIQUE

14

Le sang, les aliments et l'oxygène parviennent du corps de la mère au bébé à travers le cordon ombilical, après avoir traversé le placenta. Une fois que le bébé les a assimilés, les substances de déchet repartent par le même chemin – à travers le placenta – jusqu'au corps de la mère, qui les élimine. Tel est le milieu dans lequel le bébé se développe jusqu'à la naissance. Un univers chaud et confortable, dans lequel il dépend totalement de sa mère. C'est pourquoi celle-ci doit prendre toutes les précautions nécessaires, car non seulement elle doit faire attention à elle, mais elle a par ailleurs la responsabilité de veiller sur son enfant qui va naître.

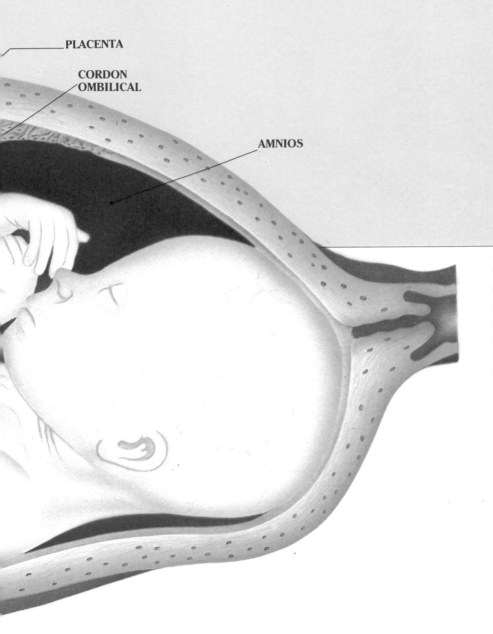

PLACENTA

CORDON OMBILICAL

AMNIOS

C'est dans le placenta qu'ont lieu les échanges des substances alimentaires et des déchets entre le fœtus et la mère. Mais ne crois pas que le sang de la mère se mélange avec celui du bébé. Il n'en est rien. En effet, le fœtus a produit son propre sang, qui ne se mêle jamais avec celui de la mère, bien qu'ils soient presque en contact dans le placenta.

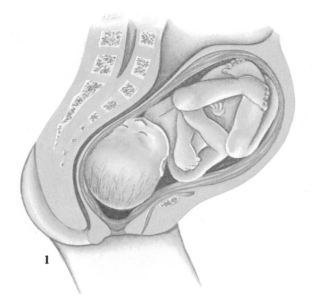

1

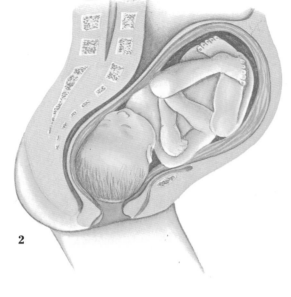

2

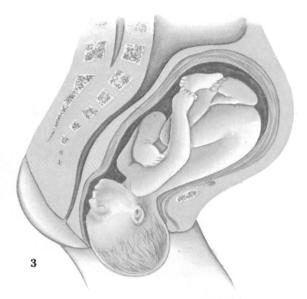

3

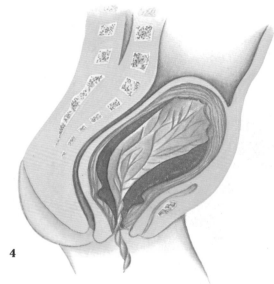

4

Pendant l'accouchement, il se passe des choses extraordinaires :
1. *Le fœtus se retourne pour placer sa tête en bas, à la recherche d'une sortie.*
2. *Le passage pour la sortie se dilate, et l'utérus est sujet à des contractions périodiques, qui poussent le fœtus vers le bas.*

3. *Lorsque la dilatation a atteint son maximum, la tête de l'enfant sort, suivie, peu de temps après, de tout son petit corps.*
4. *Le médecin ou la sage-femme qui assiste à l'accouchement coupe alors le cordon ombilical, qui est ensuite expulsé de l'utérus en même temps que le placenta. L'accouchement est terminé.*

Le moment de l'accouchement

De la 38e à la 40e semaine, le fœtus a augmenté considérablement de volume, et il pèse entre 2,5 kg et 4 kg. Il commence donc à être un peu à l'étroit à l'intérieur de sa mère. C'est pourquoi il place sa tête à l'entrée de l'utérus et se prépare à parcourir les quelques centimètres (de 12 à 15) qui le séparent du monde extérieur.

Mais l'expulsion du fœtus ne sera possible que grâce à la lente *dilatation* de ce passage, et aux contractions de l'utérus, qui contribuent à pousser le bébé vers le bas. Ces contractions se répètent à intervalles de temps de plus en plus courts et, à un moment donné, la poche amniotique qui renferme l'enfant se rompt, expulsant hors du corps de la mère le liquide dans lequel flottait le fœtus. Désormais, la sortie est libre et, après quelques dernières contractions, le bébé quitte le ventre de sa mère. On coupe alors immédiatement le cordon ombilical, et le bébé commence à respirer par lui-même. Une infinité de sensations nouvelles l'envahissent alors : il a abandonné son précieux refuge dans l'utérus maternel, et c'est sans doute un peu dur pour lui de commencer à devenir *autonome* (1). C'est pourquoi il est recommandé que la mère

le prenne tout de suite après sa naissance dans ses bras, et le place au plus près de son cœur. Le bruit de ses battements, qu'il connaît si bien pour les avoir écoutés pendant son existence fœtale, lui indique qu'il n'est pas seul. Au contraire, il a désormais à ses côtés sa mère qui a « récupéré » au bout de quelques heures. L'aventure est terminée. Le miracle d'une vie nouvelle s'est produit une fois encore.

« Me voici ! » semble dire tout nouvel être humain lorsque sa tête apparaît en venant au monde. « Je mérite d'être heureux. Voyons comment vous allez vous comporter avec moi ! ».

(1) Voir glossaire

17

La première année de la vie

C'est pendant la première année de sa vie qu'un être humain enregistre les changements les plus importants. Au cours des premières semaines, il est uniquement capable de réaliser les fonctions physiologiques les plus élémentaires, par exemple sucer et pleurer. Mais, au bout d'un mois et demi, il est déjà en mesure de tourner la tête, de fixer du regard et même de sourire, mais seulement de manière instinctive.
Son horizon s'élargit peu à peu et, à trois mois, il lève la tête, répond à un sourire par un sourire, et commence à émettre des sons. Il peut prendre ses premières bouillies (jusque-là, il ne pouvait s'alimenter qu'au lait), et deux mois plus tard seulement, il commence à s'intéresser aux objets, à jouer avec ceux qu'il trouve à sa portée, et peut tenir assis. A six mois apparaît sa première dent. Deux mois plus tard, il peut tenir debout sur ses pieds et marche à quatre pattes, ce qui lui permet d'aller dans la direction qu'il souhaite. A la fin de sa première année il a parfois déjà fait ses premiers pas. Il commence également à dire ses premiers mots, en général « papa » et « maman ». Tout cela n'est pas mal pour une seule année d'apprentissage !

Même si tu ne t'en rends pas bien compte, c'est au cours de la première année de ton existence que ton corps a connu son développement le plus spectaculaire. Mais tu ne peux pas t'en souvenir. Heureusement, tu as sans doute des photos de cette période, qui te permettent de te faire une idée de ton évolution.

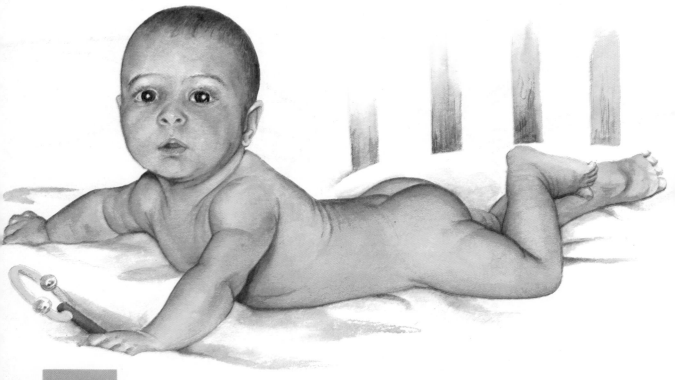

Grandir, grandir et... encore grandir

A partir de deux ans, commence ce que l'on appelle à proprement parler « l'enfance ». Cette phase se caractérise par l'augmentation de la *stature* (1) et de la puissance musculaire. Vers six ans, l'enfant a déjà sa dentition complète et, un an plus tard, cette première dentition est peu à peu remplacée par la dentition définitive. Mais il arrive aussi que certains enfants perdent leurs dents de lait dès l'âge de 5 ou 6 ans.

C'est également l'époque où l'enfant acquiert ses premières connaissances *intellectuelles* (1) : il apprend à lire, à écrire, à compter et à faire ses premières opérations arithmétiques.

L'enfance prend fin vers 12-14 ans, lorsque apparaissent les caractères sexuels secondaires (barbe pour les garçons, les seins pour les filles, etc.), qui indiquent que la production de gamètes a commencé.

L'enfance a été une longue carrière, avec un but unique : grandir et encore grandir, tant physiquement qu'intellectuellement, pour devenir des adultes sains et intelligents, capables de suivre l'exemple de leurs parents, et de contribuer à la reproduction de l'espèce humaine.

Tu vois, sur la droite, les transformations que subit un corps humain pendant l'enfance, de 2 à 12 ou 14 ans. Mais n'oublie jamais que ce sont l'intelligence, la connaissance et les valeurs morales qui font réellement de l'être humain un être supérieur.

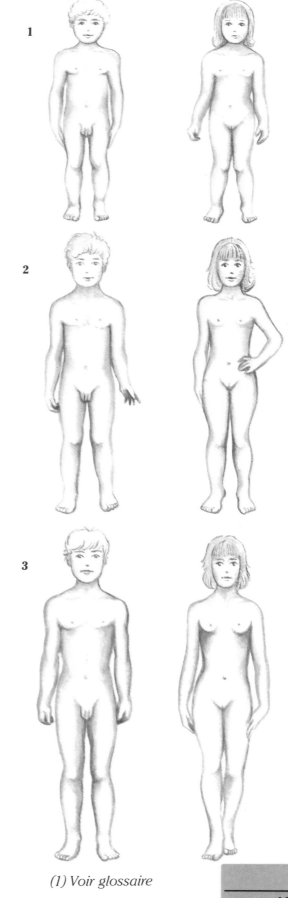

(1) Voir glossaire

Les soins à donner au nouveau-né

Comment prendre soin d'un bébé

A la naissance, le bébé est un être sans défense et extrêmement fragile. Il a donc besoin de soins donnés par des mains expertes, comme peuvent l'être celle des parents, des grands parents, ou de professionnels tels que les *puéricultrices* (1), etc. Bien que l'attention requise par le bébé couvre de nombreux aspects différents, nous allons essayer d'expliquer en cinq points les besoins essentiels des nouveaux-nés.

1) La majorité des bébés dorment de 14 à 18 heures par jour, ne se réveillant que pour manger. Au fur et à mesure qu'ils grandissent, les heures de sommeil diminuent jusqu'à ce que, vers 30 mois, il n'en reste que 10 à 12 par jour.

2) Pleurer est le seul moyen dont disposent les bébés pour s'exprimer. Il est donc logique qu'ils pleurent dès qu'ils ressentent la moindre gène : il s'agit seulement d'attirer l'attention normale que les adultes doivent leur accorder.

3) Pendant les trois premiers mois, le bébé ne se nourrit que de lait, qu'il doit prendre toutes les trois ou quatre heures le premier mois. Petit à petit, on espace les repas, jusqu'à ce qu'il n'en reste plus que cinq à trois mois.

4) Au cours de leurs premiers mois d'existence, les bébés ne contrôlent pas leurs mouvements. Lorsqu'ils bougent, ils ne le font donc que par des réflexes automatiques.

(1) Voir glossaire

5) Depuis leur naissance, les bébés se servent de leurs sens pour connaître le monde qui les entoure. Mais ils doivent les exercer car, au début, ils sont très peu développés. C'est pourquoi ils peuvent à peine fixer leur vue pendant les premières semaines, et ne peuvent diriger volontairement leur regard qu'à partir de deux mois.

Si tu as l'occasion, dans ta famille ou chez des proches d'être souvent en contact avec un enfant très petit (de un à six mois), profites-en pour observer le développement progressif de sa connaissance du monde qui l'entoure. Tu pourras t'apercevoir, par exemple, de la manière dont il se rend compte des distances, ses petites mains se dirigeant de plus en plus vite et de plus en plus efficacement vers les objets qu'il voit et qu'il veut saisir.

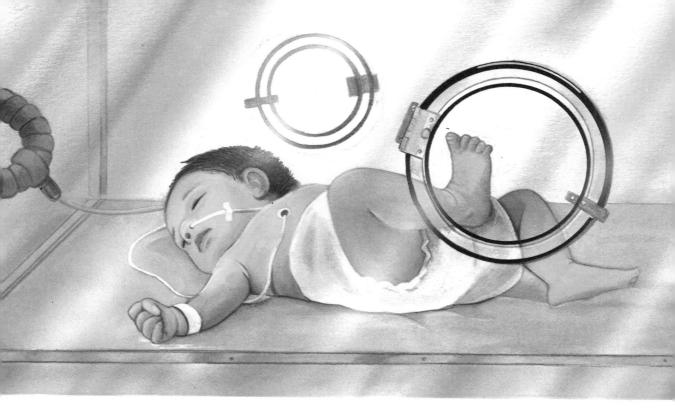

Certains bébés sont très particuliers

Certains bébés ont besoin de toute une série de soins supplémentaires, car ils sont particuliers. Tel est, par exemple, le cas des prématurés, c'est-à-dire de bébés nés plus de trois semaines avant le terme prévu pour l'accouchement. Le bébé – qui pèse toujours moins lourd que le poids habituel – est alors placé dans une couveuse (ou incubateur), où il reçoit la chaleur et les soins spéciaux dont il a besoin, et d'où il sortira lorsqu'il sera prêt à vivre la vie normale de tous les bébés.

Dans la couveuse, la température doit demeurer constante, et être contrôlée en permanence. A l'intérieur, le bébé ne doit pas porter de vêtements en dehors d'un lange, et il reçoit sa nourriture au moyen d'un tube. Là, en quelques semaines, il va prendre le poids qui lui manque, et ses organes vont finir de se former.

Un bébé prématuré est, pour ainsi dire, un être inachevé. La nature ne lui a pas laissé le temps de parfaire son développement à l'intérieur du corps de sa mère. Et ce que la nature n'a pas pu faire, la technique humaine va s'en charger : donner au bébé le temps et l'environnement qu'il lui faut pour achever sa formation.

Le lait, aliment indispensable

En règle générale, le lait est l'unique aliment que le bébé peut recevoir pendant les premiers jours de sa vie. Ce lait peut être artificiel (en poudre), mais il vaut encore mieux que ce soit le lait maternel. Etant donné que nous sommes des mammifères, les seins de la femme sont préparés pour alimenter les enfants qu'elle met au monde. Pendant la grossesse, une série d'hormones prépare déjà la fabrication du lait, qui démarrera environ douze heures après la naissance du bébé. Au début, ce n'est qu'un liquide jaunâtre. Mais attention ! Ce liquide est aussi le plus important pour le bébé : cette substance, le « colostrum », contient les anticorps nécessaires à la prévention de toutes sortes d'infections pendant les premières semaines de vie.

Ensuite, la sécrétion du lait devient de plus en plus régulière et l'enfant peut satisfaire son appétit. La mère doit néanmoins faire très attention à son alimentation et se reposer le plus possible, étant donné que tout changement dans le rythme, la qualité et la composition des repas, ou une vie très agitée peuvent indirectement porter préjudice à l'enfant en empêchant (ou en altérant) la production de lait, tant sur le plan qualitatif que sur le plan quantitatif.

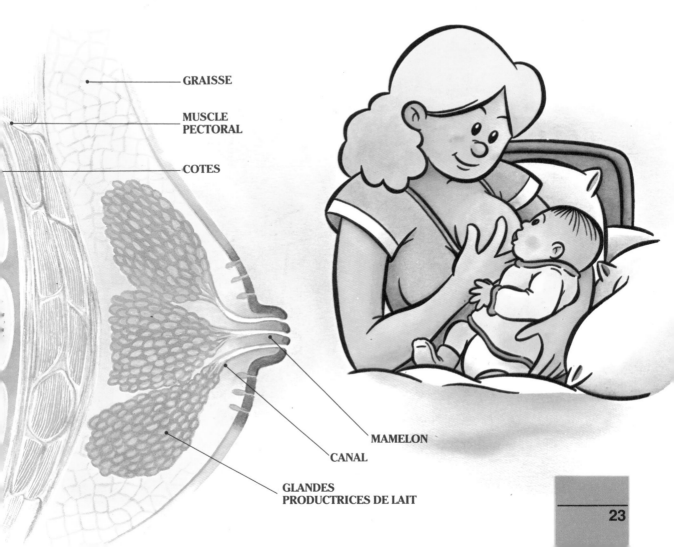

GRAISSE

MUSCLE PECTORAL

COTES

MAMELON

CANAL

GLANDES PRODUCTRICES DE LAIT

N'oublie jamais...

... qu'il ne faut jamais laisser un bébé seul avec son biberon : il pourrait s'étouffer.

... qu'un bébé doit dormir sans oreiller, pour éviter les risques d'asphyxie.

... qu'une lumière intense peut abîmer les yeux fragiles d'un bébé, s'il la reçoit directement.

... qu'un bébé laissé seul sur un lit peut rouler et tomber.

Si tu portes un bébé dans les bras, tu dois faire très attention. Un bébé n'est pas une poupée, c'est un petit être fragile qu'il faut traiter avec ménagement.

... que les chats adorent se coucher dans des endroits mous et chauds. S'il y a un chat dans la maison où se trouve un bébé il y a un risque que l'animal aille chercher la chaleur dans le berceau du bébé et étouffe ce dernier. Il est donc préférable d'interdire à l'animal l'entrée de la pièce où se trouve le bébé.

... qu'il faut garder une vigilance constante pour que le bébé ne puisse pas introduire des objets (pas même de la nourriture) dans sa bouche lorsqu'il est seul, car il pourrait s'étrangler.

... que les boissons et les aliments chauds doivent être tenus éloignés du bébé, car s'ils venaient à tomber sur lui, ils pourraient le brûler plus ou moins gravement.

Personne ne connaît mieux que la mère les besoins du bébé, et personne ne peut y répondre mieux qu'elle. Pendant les deux premières années, la présence et le contrôle de la mère sont irremplaçables pour le bon développement de l'enfant.

Apprends avec nous

Le premier bébé-éprouvette

Rien ne distingue la petite Louise Brown des autres enfants. Pourtant, sa naissance retint l'attention du monde entier et fit la première page des journaux.

Pourquoi ? Tout simplement parce qu'elle fut le premier bébé éprouvette. En effet, sa mère, Lesley, était stérile ; les docteurs Edwards et Steptoe proposèrent à cette dernière et à son mari, John, une nouvelle technique médicale, qui pourrait peut-être lui permettre de réaliser son rêve d'avoir un enfant. Cette technique appelée fécondation « in vitro », consistait à extraire l'ovule mûr de l'ovaire de Lesley, pour le déposer dans une *éprouvette* (1), avec les spermatozoïdes de John. C'est là que l'ovule fut fécondé, avant d'être ensuite réimplanté dans l'utérus de Lesley. Louise naquit le 24 juillet 1978.

LE PROCESSUS DE LA FECONDATION IN VITRO

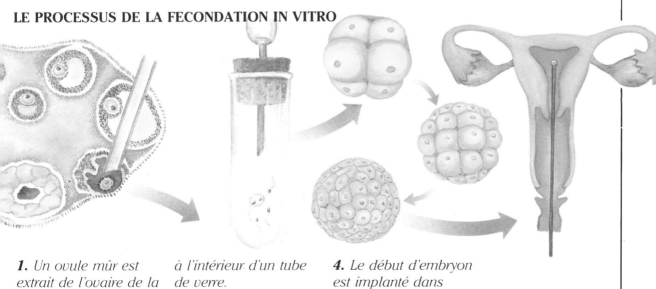

1. Un ovule mûr est extrait de l'ovaire de la mère.

2. L'ovule est fécondé par le sperme du père,

à l'intérieur d'un tube de verre.

3. La cellule-œuf se forme à l'intérieur du tube.

4. Le début d'embryon est implanté dans l'utérus de la mère. A partir de là, la grossesse se poursuit normalement.

Quelques conseils pour...

...toujours garder à l'esprit qu'on n'est jamais trop prudent lorsqu'il s'agit de protéger des enfants de tout risque d'accidents. Ainsi, une cour ou un jardin est pour eux un lieu enchanté, que leur imagination peut transformer en forêt amazonienne, en champ de bataille ou en océan qu'ils sillonnent avec leur grand voilier. Mais, dans la réalité, ce lieu renferme de nombreux dangers. Par exemple, les produits que l'on utilise pour les soins des fleurs et des plantes sont aussi dangereux que n'importe quel produit d'entretien. Ils doivent dont toujours être sous clé. De même, les étangs et les piscines représentent un grand danger pour les enfants, qui peuvent facilement trébucher et tomber dedans. Ils doivent donc toujours être entourés et protégés par des systèmes de sécurité.

Les outils de jardinage doivent aussi être rangés hors de portée des enfants. Car il s'agit souvent d'instruments coupants très dangereux. Certaines plantes et certains fruits peuvent contenir du poison. Il faut prévenir sérieusement les enfants du danger qu'ils représentent. On peut par exemple le faire en se servant du conte de Blanche-Neige, tombée malade après avoir mordu dans la pomme empoisonnée que lui offrait la sorcière.

Mais une fois ces périls écartés, un jardin peut être un endroit merveilleux pour les tout petits. Essayons donc d'en soustraire tout danger, et laissons-les librement à l'air libre. C'est en effet l'un des meilleurs moyens de leur permettre de grandir et de rester en bonne santé, physique et mentale.

« Fais attention ! Cesse de courir ! Descends de là ! Arrête tes bêtises ! » On t'a sans doute souvent dit ce genre de choses, et tu dois penser que les grandes personnes ne savent pas s'amuser. Mais il n'en est rien : en réalité, les adultes sont plus conscients (1) du danger, et leur rôle est de t'avertir lorsque l'enthousiasme avec lequel tu joues pourrait te faire commettre des imprudences.

Glossaire

ANESTHESIE
Suppression de la sensibilité à la douleur, obtenue en faisant respirer ou en injectant dans le corps des substances médicales conçues pour endormir cette sensibilité.

AUTONOME
Capable de vivre par lui-même, sans avoir besoin de dépendre des autres.

BACTERIES
Micro-organismes, microbes, pouvant causer certaines maladies, telles que la pneumonie, l'angine, etc. Ce sont des organismes unicellulaires, que l'on classe dans la catégorie des végétaux.

CONGENITAL
Caractéristique qui est présente au moment de la naissance, et dont l'origine se situe pendant la vie intra-utérine, c'est-à-dire pendant la vie du fœtus dans l'utérus de la mère.

CONSCIENT
Qui est lucide ; qui sait ce qu'il fait, et qui se juge soi-même comme il juge le monde extérieur.

DILATATION
Augmentation du volume d'un organe.

ECHO
Répétition d'un son par l'effet des ondes sonores.

EPROUVETTE
Récipient de verre utilisé dans les laboratoires.

GESTATION
Période de temps pendant laquelle en être nouveau se forme dans le ventre de sa mère. Dans le cas de l'être humain, la gestation ou grossesse dure neuf mois.

INCUBATEUR (ou couveuse)
Récipient en verre fait de manière à reconstituer les mêmes conditions de stérilité et d'environnement que celles offertes par le ventre maternel, et où les enfants prématurés peuvent finir de se préparer à la vie autonome après la naissance.

INTELLECTUEL
Qui se rapporte à l'intelligence.

LIQUIDE AMNIOTIQUE
Substance aqueuse qui entoure le fœtus avant la naissance.

PHYSIOLOGIQUE
Qui concerne le fonctionnement d'un organisme vivant, d'un organe, ou d'une cellule vivante.

PROTUBERANCE
Petite bosse en forme arrondie.

PUERICULTRICE
Spécialiste de l'éducation et des soins des tout petits enfants.

RADICELLE
Petit filament provenant de la ramification d'une racine plus importante.

RAYONS X
Radiations électro-magnétiques utilisées en médecine pour l'exploration du corps humain à des fins de diagnostic.

STATURE
Taille du corps.

Table des matières

MÉTRO : Chef parachutiste-anticorps. Tel un preux chevalier, il lutte dans son armure métallique. Il est sûr de lui, rouspéteur et... hilare dans l'exercice de ses fonctions.

PIERROT : Globule lymphocyte et Capita la Police du corps. déplace dans une ca spatiale. Les lymph sécrètent des jets toxines et éjectent bataillons d'antico

PSI : Globule blanc lymphocyte. Lieutenant de police et adjointe de Pierrot. Sa subtilité, quand il s'agira de déjouer les ruses des virus envahisseurs nous rendra bien des services.

PETIT GROS : Globule blanc polynucléaire et chef d'un groupe de l'infanterie de combat de la police du corps. Ceux-là n'hésitent pas à phagocyter, tels des « enzymes gloutons ».

LE TEIGNEUX : Méchant chef des microbes ou bactéries diverses. L'ennemi traditionnel de Petit Gros.